LET'S LEARN
SOME
TURKISH

İNGİLİZCE KONUŞANLAR İÇİN TÜRKÇE

LET'S LEARN
SOME TURKISH

Yazan
Cengiz ÖZGÜR
0.533. 232 67 12

Redakte ve Düzelti
Canan Çelebi

Kapak
Doç. Dr. Selman ÇELEBİ

Grafik Tasarım
Dialog Reklam
Gülcan YOL
Tel: 0.242. 244 52 92 Fax: 0.242. 244 50 24

Baskı ve Cilt
ERMAN OFSET LTD. ŞTİ.
0332. 342 01 55

Basım Yılı
2009

Bilge Color
TUR. TİC. LTD. ŞTİ.

Kışla Mah. 35. Sk. Ergüç Apt.
No: 24/1-2 07040 ANTALYA
Tel: 0242. 243 38 87 - 248 54 22
Fax: 0242. 248 65 95
bilgecolor@hotmail.com

INDEX

a ah	*Adana*	**adana**
b beh	*Bursa*	**booRsa**
c jeh	*Cidde*	**jideh**
ç cheh	*Çanakkale*	**chanak-kaleh**
d deh	*Denizli*	**denizli**
e eh	*Edirne*	**ediRneh**
f feh	*Fethiye*	**fet-hiyeh**
g geh	*Giresun*	**giResoon**
ğ yoomooshak geh (no Turkish words begin with ğ)		
h heh	*Hatay*	**hati**
i i	*İzmir*	**izmiR**
ı uh	*Isparta*	**uhspaRta**

l	leh	*Lüleburgaz*	**lewlebooRgaz**
m	meh	*Malatya*	**malatya**
n	neh	*Nevşehir*	**nevshe-hiR**
o	o	*Ordu*	**oRdoo**
ö	ur	*Ören*	**uRen**
p	peh	*Pamukkale*	**pamook-kaleh**
r	reh	*Rize*	**rizeh**
s	seh	*Sinop*	**sinop**
ş	sheh	*Şirvan*	**şhiRvan**
t	teh	*Tokat*	**tokat**
u	oo	*Urfa*	**ooRfa**
ü	ew	*Üsküp*	**ewskewp**
v	veh	*Van*	**van**
y	yeh	*Yozgat*	**yozgat**
z	zeh	*Zonguldak*	**zongooldak**

NUMBERS - SAYILAR

0	Sıfır	suhfuhR
1	Bir	biR
2	İki	iki
3	Üç	ewch
4	Dört	durRt
5	Beş	besh
6	Altı	altuh
7	Yedi	yedi
8	Sekiz	sekiz
9	Dokuz	dokooz
10	On	on
11	Onbir	on biR
12	Oniki	on iki
13	Onüç	on ewch
14	Ondört	on durRt
15	Onbeş	on besh
16	Onaltı	on altuh
17	Onyedi	on yedi
18	Onsekiz	on sekiz
19	Ondokuz	on dokooz
20	yirmi	yiRmi

21	*Yirmibir*	**yiRmibiR**
22	*Yirmiiki*	**yirRmiiki**
30	*Otuz*	**otooz**
31	*Otuzbir*	**otoozbiR**
40	*Kırk*	**kuhRk**
50	*Elli*	**el-li**
60	*Altmış*	**altmuhsh**
70	*Yetmiş*	**yetmiş**
80	*Seksen*	**seksen**
90	*Doksan*	**oksan**
100	*Yüz*	**yewz**
101	*Yüzbir*	**yewz biR**
200	*İkiyüz*	**iki yewz**
300	*Üçyüz*	**ewch yewz**
1000	*Bin*	**bin**
2000	*İkibin*	**ikibin**
10.000	*Onbin*	**onbin**
100.000	*Yüzbin*	**yewz bin**
Million	*Milyon*	**milyon**
Billion	*Milyar*	**milyaR**
Trillion	*Trilyon*	**threelliyon**
Quadrillion	*Katrilyon*	**katRrilyon**

Once	Bir kere	biR keReh
twice	İki kere	iki keReh
five times	Beş kere	besh keReh
double	İki katı	iki katuh
triple	üç katı	ewch katuh
half	yarısı	yaRuhsuh
a quarter	dörtte biri	duRt-teh biRi
a third	üçte biri	ewchteh biRi
a couple	bir çift	biR chift
a few	bir kaç	biR kach
plus	artı	aRtuh
minus	eksi	aksi
odd / even	tek / çift	tek / chift
total	toplam	toplam

WHAT TIME IS IT ?

What time is it ?
Saat kaç ?
Saht kach ?

It's two o'clock
Saat iki
Saht iki

It's five past two
Saat ikiyi beş geçiyor
Saht ikiyi besh gechiyoR

It's a quarter past eleven
Saat onbiri çeyrek geçiyor
Saht onbiRi cheyrek gechiyoR

It's twenty past eleven
Saat onbiri yirmi geçiyor
Saht onbiRi yiRmi gechiyoR

It's half past two
Saat iki buçuk
Saht iki boochook

It's ten to three
Saat üçe on var
Saht ewcheh on vaR

It's a quarter to ten
Saat ona çeyrek var
Saht ona cheyRek vaR

It's twelve noon
Öğlen saat oniki
Ur:len saht oniki

It's midnight
Gece oniki
Gejeh saht oniki

What time ?
Saat kaçta ?
Saht kachta ?

At two o'clock
Saat ikide
Saht ikideh

At half past two
Saat iki buçukda
Saht iki boochookda

an hour
bir saat
biR saht

half an hour
yarım saat
yaRuhm saht

in an hour
bir saat sonra
biR saht sonRa

in half an hour
yarım saat sonra
yaRuhm saht sonRa

in an quarter of an hour
on beş dakika sonra
on besh dakika sonRa

early / late
erken / geç
eRken / gech

on time
zamanında
zamanuhnda

summer time
yaz saati
yaz sahtee

wintertime
kış saati
kuhsh sahtee

DATE

What's today?	Bugün günlerden ne?	boogewn gewnleRden neh?
Today is	Bugün	bugewn
Monday	Pazartesi	pazaRtesi
Tuesday	Salı	saluh
Wednesday	Çarşamba	charshamba
Thursday	Perşembe	peRshembeh
Friday	Cuma	jooma
Saturday	Cumartesi	joomaRtesi
Sunday	Pazar	pazaR
1 January	Ocak	ojak
2 February	Şubat	shubat
3 March	Mart	maRt
4 April	Nisan	nis-an
5 May	Mayıs	ma-yuhs
6 June	Haziran	haziRan
7 July	Temmuz	tem-mooz
8 August	Ağustos	a:oostos
9 September	Eylül	eylewl
10 October	Ekim	eKeem
11 November	Kasım	kas-uhm
12 December	Aralık	aRaluhk

On Sunday	*Pazar günü*	**pazaR gewnew**
In January	*Ocak'ta*	**ojakta**
In Spring	*İlkbaharda*	**ilkba-haRda**
	(İlkbahar)	
Next	*Gelecek*	**gelejek**
Summer	*Yazın (yaz)*	**yazuhn**
Last Autumn	*Geçen*	**gechen**
	Sohbahar	**sonba-har**
In winter	*Kışın (Kış)*	**kushun**
Morning	*Sabah*	**sabah**
Afternoon	*Öğleden sonra*	**urleden sonRa**
Evening	*Akşam*	**aksham**
Night	*Gece*	**geje**
Tonight	*Bu gece*	**boo gejeh**
Last night	*Dün gece*	**dewn gejeh**
This week	*Bu hafta*	**boo hafta**
Next month	*Gelecek ay*	**gelejek i**
Next year	*Gelecek sene*	**gelejek seneh**
This evening	*Bu akşam*	**boo aksham**

In .... days / week /month / year

.... *gün sonra / hafta /ay / sene*

.... **gewn sonRa / hafta / I / seneh**

Day off	*Tatil günü*	**tatil gewnew**
Date	*Tarih*	**taRi**
Today	*Bugün*	**boogewn**
Tomorrow	*Yarın*	**yaRuhn**
The day after tomorrow		
Öbürgün		
urbewrgewn		
Yesterday	*Dün*	**dewn**
The day before yesterday		
Evvelsi gün		
evvelsi gewn		
Day	*Gün*	**gewn**
Every	*Her*	**heR**
Week	*Hafta*	**hafta**
Last	*Geçen*	**gechen**
Now	*Şimdi*	**shimdi**
Never	*Asla*	**asla**
How many	*Kaç*	**kach**
Some	*Bazı*	**bazuh**

THE WEATHER

The weather's changing
Hava değişiyor
hava de:isniyoR

What's the weather going to be like tomorrow ?
Yarın hava nasıl olacak ?
yaruhn hava nasuhl olojak ?

Is it going to get colder ?
Hava daha soğuk mu olacak ?
hava daha so:ook moo olajak ?

What temperature is it going to be ?
Sıcaklık kaç derece olacak ?
suhjakluhk kach dereje olajak ?

It's cooling down
Hava soğuyor
hava so:ooyoR

Is it going to rain ?
Yağmur mu yağacak ?
ya:mooR moo ya:ajak

Is there going to be a storm ?
Hava fırtınalı mı olacak ?
hava fuhRtuhnaluh muh olajak

Sun	*Güneş*	**gewnesh**
Sunny	*Güneşli*	**gewneshli**
Wind	*Rüzgar*	**rewzgaR**
Windy	*Rüzgarlı*	**rewzgaRluh**
Rain	*Yağmur*	**ya:mooR**
Rainy	*Yağmurlu*	**ya:mooRloo**
Cloud	*Bulut*	**booloot**
Cloudy	*Bulutlu*	**boolootloo**
Storm	*Fırtına*	**fuhRtuhnah**
Stormy	*Fırtınalı*	**fuhRtuhnahlu**
Fog	*Sis*	**sis**
Foggy	*Sisli*	**sisli**
Snow	*Kar*	**kaR**
Freeze	*Don*	**don**
Hot	*Sıcak*	**sujak**
Cold	*Soğuk*	**so:ook**
Cool	*Serin*	**seRin**
Heat wave	*Sıcak dalgası*	**sujak dalgasuh**
Oppressive	*Bunaltıcı*	**boonatuhju**
Beautiful	*Güzel*	**gewzel**
Tepid	*Ilık*	**uhluhk**
Hail	*Dolu*	**doloo**
Degrees	*Derece*	**deReje**
Below zero	*Sıfırın altında*	**suhfuhRun altuhnda**
Above zero	*Sıfırın üstünde*	**suhfuhRun ewstewndeh**
Temperature	*Sıcaklık*	**sujakluhk**
Hurricane	*Kasırga*	**kasuhRga**
Heavy downpour	*Sağanak yağış*	**sa:anak ya:ush**

It's so hot / cold today
Bugün hava ne kadar sıcak / soğuk
boogewn hava neh kadaR suhjak / so:ook

Nice weather, isn't it ?
Hava güzel değil mi ?
hava gewzel de:il mi ?

What a wind / storm !
Bu ne rüzgar / fırtına !
boo neh rewzgaR / fuhRtuhna

All that rain / snow !
Bu ne yağmur / kar !
boo neh ya:mooR / kahR !

Has the weather been like this for long here ?
Hava uzun zamandan beri mi böyle ?
hava oozoon zamandan beRi mi buhyleh

Is it always this hot / cold here ?
Burası her zaman bu kadar sıcak mı / soğuk mu ?
boorasuh heR zaman boo kadaR suhjak muh / so:ook moo

Is it always this dry / wet here ?
Burası her zaman bu kadar kurak mı / yağışlı mı ?
boorasuh heR zaman boo kadaR kooRak muh / ya:uhsluh mu

PERSONAL DETAILS

Surname	*Soyadı*	**soy-aduh**
Forename	*Adı*	**aduh**
Initials	*İsmin baş*	**ismin bash**
	harfleri	**haRfleRi**
Address	*Adres*	**adRes**
Street	*Cadde/sokak*	**jaddeh/sokak**
Number	*Numara*	**noomaRa**
Post code	*Posta kodu*	**posta kodoo**
Town	*Şehir*	**she-heer**
Nationality	*Uyruğu*	**uuyRoo:oo**
Date of birth	*Doğum tarihi*	**do: oom tarihi**
Place of birth	*Doğum yeri*	**do: oom yeRi**
Occupation	*Mesleği*	**mesle:i**
Married	*Evli*	**evli**
Single	*Bekar*	**bakahR**
Divorced	*Boşanmış*	**boshanmuhsh**
Widowed	*Dul*	**dool**
Passport	*Pasaport*	**pasapoRt**
number	*numarası*	**noomaRasuh**

HOLIDAYS
Public Holidays

1 st January new year   *Yılbaşı*   **yuhlbashu**

23 April National Sovereignty and Children's Day
23 Nisan Ulusal Egemenlik ve Çocuk Bayramı
yiRmiuch nisan ulusal egemenlik ve chochook bayRamuh

19 May Young, People's and Sport Day
19 Mayıs Gençlik ve Spor Bayramı
ondokhooz mayuhs genchlik ve spor bayRamuh

30 August Victory Day
30 Ağustos Zafer Bayramı
otooz a:oostoos zafer bayRaamuh

29 October Republic Day
29 Ekim Cumhuriyet Bayramı
yiRmi dokhooz ekim joomhooRiyet bayRaamuh

Religious Holidays

The Feast of Breaking Fast (After 30 days of Ramazan month)

Ramazan Bayramı

Ramazan bayRamuh

The Feast of Sacrifice (70 days later than Ramazan Bayramı)

Kurban Bayramı

kooRbahn bayRamult

Shops, banks and offices are closed on all these days. If at any time you should wish to enter a mosque during your visit, be ready to remove your shoes at the entrance. Women should also cover their heads. Both shorts and short skirts are inappropriate. You should remove your shoes before entering a private house

The Şeker Bayramı (ShekeR BayRamuh) or with the other name Ramazan Bayramı (Ramadan Bayramuh) is a three day festival marking the and of Ramadan Month. Its date each year varies with the timing of Ramadan. Information on the precise date should be readily available before your travel The Kurban Bayramı (KooRbahn BayRamuh) follows 70 days later than Şeker Bayramı, and is a four-day celebration which traditionally has been associated with the sacRifice of a ram.

GREETINGS

Hello, Mr. Mehmet Taş

Merhaba Mehmet bey

meR-haba Mehmet bey

Hello, Mrs. Fatma Arı

Merhaba Fatma hanım

meR-haba Fatma hanuhm

Good morning, madam

Günaydın hanımefendi

gewniduhn hanuhmefendi

Good afternoon, sir

İyi günler beyefendi

iyi gewnleR bey-efendi

Good evening

İyi akşamlar

iyi akshamlaR

How are you?

Nasılsınız?

nasuhlsuhnuhz?

Fine, thank you

İyiyim, teşekkür ederim

iyiyim, teshekkewR edeRim

Not very well

İyi değilim

iyi de:ilim

Not too bad

İdare eder

idaReh edeR

I have to be going

Gitmek zorundayım

gitmek zoRoonda-yuhm

Goodbye (when leaving)

Hoşçakal

hoshchakal

Goodbye (after someone)

Güle güle

gewleh gewleh

Şee you soon

Görüşmek üzere

guRewshmek ewzeReh

See you later

Sonra görüşmek üzere

sonRa gurRewshmek ewzeReh

See you in a little while

En kısa zamanda görüşmek üzere

en kuhsa zamanda gurRewshmek ewzerfeh

Sleep well	*iyi uykular*	**iyi ooykoolaR**
Good night	*İyi geceler*	**iyi gejeleR**
All the best	*Sağlıcakla kalın*	**sa:luhjakla kaluhn**
Have fun	*İyi eğlenceler*	**iyi e:lenjeleR**
Good luck	*İyi şanslar*	**iyi shanslaR**

Have a nice holiday

İyi tatiller

iyi tatil-leR

Have a good trip

İyi yolculuklar

iyi yoljoolooklaR

Thank you, you too

Teşekkürler, size de

teshek-kewRleR, sizeh-deh

HOW TO ASK A QUESTION

Who?	*Kim?*	**kim**
Who's that?	*O kim?*	**o kim**
What?	*Ne?*	**neh**
Why?	*Niçin?*	**nichin?**

Where?

Nerede/Nereye?

neRedeh/neRe-yeh?

What's there to see here?

Burada görülecek ne var?

booRada gurRewlejek neh vaR?

Where's the toilet?

Tuvalet ne tarafta?

too-alet neh taRafta?

Where are you going?

Nereye gidiyorsunuz?

neRe-yeh gidiyoRsoonooz?

Where are you from?

Nerelisiniz?

neRelisiniz?

How?

Nasıl?

nasuhl?

How far is that?

Orası ne kadar uzak?

oRasuh neh kadaR oozak?

How long does it take?

Ne kadar sürer?

neh kadaR sewReR?

How long is the trip?

Yolculuk ne kadar sürer?

yoljoolook neh kadaR sewReR?

How much?

Ne kadar?

neh kadaR?

How much is this?

Bu ne kadar?

boo neh kadaR?

What time is it?

Saat kaç?

saht kach?

Which (Single-Plural)

Hangi? Hangileri?

hangi? hangileRi?

Which glass is mine?

Hangi bardak benim?

hangi baRdak benim?

How old are you?

Kaç yaşındasınız?

kach yashundahsuhnuhz?

When?

Ne zaman?

neh zaman?

When are you leaving?

Ne zaman yola çıkıyorsunuz?

neh zaman yola chuhkuh-yoRsoonooz?

Could you help me?

Bana yardım edebilirmisiniz?

bana yaRduhm edebiliRmisiniz?

Could you reserve ticket for me?

Benim için bilet ayırırmısınız?

benim ichin bilet i-uhRuhR muhsuhnuhz?

Do you know?

Biliyormusunuz?

biliyoRmoosoonooz?

Do you know where?

Nerede, biliyormusunuz?

neRedeh, biliyoRmoosoonooz?

Do you have a ....?

.... *var mı?*

.... vaR muh?

Do you have a vegetarian dish?

Etsiz bir yemeğiniz var mı?

etsiz biR yeme:iniz vaR muh?

I'd like ....

İstiyorum ....

.... istiyoroom.

I'd like a kilo of apples

Bir kilo elma istiyorum

biR kilo elma istiyoroom

I don't want it

Onu istemiyorum

onoo istemiyoRoom

Can I take this?

Bunu alabilirmiyim?

boonoo alabiliRmiyim?

Can I smoke here?

Burada sigara içebilirmiyim?

booRada sigaRa ichebiliRmiyim?

Could I ask you something?

Birşey sorabilirmiyim?

biR shey soRabiliRmiyim?

How do you say in Turkish?

Türkçe nasıl dersiniz?

tewrRkche nasuhl deRsiniz?

Turkish is quite difficult

Türkçe oldukça zor

tewRkche oldookcha zoR

HOW TO REPLY

Yes, of course
Evet tabii
evet tabee

I think so
zannederim
zan-nedeRim

No, I'm sorry
Hayır, özür dilerim
ha-yuhr erzewD dileRim

I agree	*Bence de*	**benje-deh**
I hope so	*Umarım*	**oomaruhm**
All right	*İyi*	**iyi**
Okay	*Tamam*	**tamam**
Perhaps	*Belki*	**belki**
That's right	*Doğru*	**do:roo**
No, problem	*Problem değil*	**problem de:il**
Here	*Burada*	**booRada**
There	*Orada*	**oRada**

Some where
Herhangi bir yerde
heRhangi biR yeRdeh

nowhere	*hiçbiryerde*	**hich biR yeRdeh**
everywhere	*her yerde*	**heRyeRdeh**
via	*yoluyla*	**yolooyla**
far away	*uzak*	**oozak**
nearby	*yakın*	**yakuhn**
in	*içine / içinde*	**ichineh / ichindeh**
on	*üzerinde / üzerine*	**ewzeRindeh / ewzeRineh**
under	*altına / altında*	**altuhna / altuhnda**
over	*üstüne / üstünde*	**ewstewneh / ewstewdeh**
against	*karşı*	**kaRshuh**
opposite	*karşısında*	**kaRshuhsuhnda**
next to	*yanında*	**yanuhnda**
hear	*yakın*	**yakuhn**
in front of	*önünde*	**urnewdeh**
in the centre	*ortada*	**oRtada**
forward	*öne*	**urneh**
back	*geri / geriye*	**geRi / geRiye**
down	*aşağı*	**asha:uh**
up	*yukarı*	**yookaRuh**
inside	*içeri*	**icheRi**
outside	*dışarı*	**dushaRuh**
behind	*arkasında*	**aRkasuhnda**
at the front	*ön tarafta*	**urntaRafta**
in the north	*kuzeyde*	**koozeydeh**
to the north	*kuzeye*	**koozeyeh**

What can I do for you ?
Size nasıl yardımcı olabilirim ?
sizeh nasuhl yaRduhmjuh olabiliRim ?

Just a moment please
Bir saniye lütfen
biR sahniyeh lewtfen.

No, I don't have time now
Hayır şu anda hiç zamanım yok
hayiR shoo anda hich zamanuhm yok

No, that's impossible
Hayır imkansız
ha-yuhR imkahnsuhz

I don't know
Bilmiyorum
bilmiyoRoom

I know a little Turkish
Az Türkçe biliyorum
az TewRkcheh biliyoRoom

I don't believe
İnanmıyorum
inahnmuhyoRoom

Thank you
Teşekkür ederim
teshek-kewR edeRim

You're welcome
Birşey değil
biR shey de:il

Very kind of you
Çok naziksiniz
chok naziksiniz

Thank you for your trouble
Zahmetiniz için teşekkür ederim
zaHmetiniz ichin teshek-kewR edeRim

That's all right
Hiç önemli değil
hich urnemli de:il

Thank you very much
Çok teşekkür ederim
chok teshek-kewR edeRim

I enjoyed it very much
Benim için büyük bir zevkti
benim ichin bew-yewk biR zevkti

I BEG YOUR PARDON

Sorry	*Pardon*	**paRdon**
I'm very sorry	*Çok üzgünüm*	**chok ewzgewnewm**
Excuse me	*Özür dilerim*	**urzewhR dileRim**
That's all right	*Önemli değil*	**urnemli de:il**
Never mind	*Boş ver*	**bosh veR**
I do apologise	*Affedersiniz*	**af-fedeRsiniz**

I didn't do it on purpose
Kasten yapmadım
kasten yapmaduhm

It was an accident
Yanlışlıkla oldu
yanluhshlukla oldoo

Ispeak a little ......
Biraz .... biliyorum
biRaz .... biliyoRoom

I beg your pardon?
Ne dediniz?
neh dediniz?

I (don't) understand
Anlıyorum (Anlamıyorum)
anluhyoRoom (AnlamuhyoRoom)

Do you understand me?
Beni anlıyormusunuz?
beni anluhyoRmoosoonooz?

Could you speak more slowly, please?
Biraz daha yavaş konuşabilirmisiniz?
biRaz da-ha yavash konooshabiliRmisiniz?

What does that word mean?
O/o sözcük ne demek?
o/o surzjewk neh demek?

Could you spell that for me?
Onu benim için heceleyebilirmisiniz?
onoo benim ichin hejeleyebiliRmisiniz?

How do you say that in ....?
.... *ona ne diyorsunuz?*
.... ona neh diyoRsoonooz?

How do you pronounce that?
Onu nasıl telaffuz ediyorsunuz?
onoo nasuhl telaf-fooz ediyoRsoonooz?

Could you repeat that please?
Lütfen tekrar edermisiniz?
lewtfen tekRaR edeRmisiniz?

I don't mind	*Fark etmez*	**faRk etmez**
Well done!	*Bravo!*	**bRavo!**
Not bad	*Fena değil*	**fena de:il**
Great!	*Şahane!*	**sha-haneh!**
Wonderful!	*Harika!*	**haRika!**
How nice!	*Ne hoş!*	**neh hosh!**
I'm glad	*Memnun*	**memnoon**
	oldum	**oldoom**
That's	*Ne gülünç!*	**neh**
ridiculous		**gewlewnch!**
That's terrible	*Ne iğrenç!*	**neh i:Rench**
What a pity!	*Ne yazık!*	**neh yazuhk!**
I've had enought	*Bıktım*	**buhktuhm**
I like	*Severim*	**seveRim**

I'm bored to death
Canım çok sıkılıyor
januhm chok suhkuhluyoR

I was expeeting something completely different
Tamamen başka bir şey bekliyordum
tamahmen bashka biR shey bekliyoRdoom

Which do you prefer?
Neyi tercih edersiniz?
neyi teRji-hedeRsiniz

What do you think?
Ne dersiniz?
neh deRsiniz?

It's really nice here!
Burası gerçekten güzel!
booRasu geRchekten gewzel!

I'm having great time
Çok eğleniyorum
chok e:leniyoroom

I don't like..........
.... *sevmiyorum*
.... **sevmiyoRoom**

INTRODUCTIONS

May I introduce myself?
Kendimi tanıtabilirmiyim?
kendimi tanuhtabilirmiyim?

My name's	*Benim adım ....*	**benim aduhm ....**
I'm	*Ben ....*	**ben ....**
I'm English	*Ben İngilizim*	**ben ingilizim**

I'm Scottish
Ben İskoçyalıyım
Ben ıskochyaluh-yuhm

What's your name?
Adınız ne?
aduhnuhz neh?

Where are you from?
Nerelisiniz?
neRelisiniz?

This my husband/wife?
Bu benim kocam/karım
boo benim kojam/kaRuhm

This is my daughter/son
Bu benim kızım/oğlum
boo benim kuhzum/o:loom

How do you do?

Memnun oldum

memnoon oldoom

Pleased to meet you

Tanıştığımıza memnun oldum

tanuhstuh:uhmuhza memnoon oldoom

Where are you staying?

Nerede kalıyorsunuz?

neRedeh kaluhyorsoonooz?

In a hotel / an apartment

Bir otelde / apartman dairesinde

biR oteldeh / apaRtaman diResindeh

With friends / relatives

Arkadaşlarla / akrabalarla

aRkadashlarla / akRabalarla

Are you married?
Evlimisiniz?
evlimisiniz?

I'm married
Evliyim
Evliyim

I'm single
Bekarım
Bekahrum

I'm seperated
Eşimden ayrıyım
eshimden iruhyuhm

I'm divorced
Boşandım
boshanduhm

I'm widow/widover
Dulum
dooloom

I live alone
Yalnız yaşıyorum
yalnuhz yashuyoroom

I live with someone
Biriyle yaşıyorum
biRiyleh yashuyoroom

How old are you?
Kaç yaşındasınız?
kach yashuhndasınız?

I am ......
...... yaşındayım
...... yashundayuhm

What do you do for a living?

Ne iş yaparsınız?

neh ish yapaRsuhnuhz?

I work in an office

Bir büroda çalışıyorum

biR bewRoda chaluhshunyoRoom

I am a student / I am at school

Okuyorum

okooyoRoom

I am retired

Emekliyim

emekliyim

I am a housewife

Ev kadınıyım

ev kaduhnuh-yuhm

I'm English	*Ben İngilizim*	**ben İngilizim**
I'm Scottish	*Ben İskoçyalıyım*	**ben iskochyaluh-yuhm**
I'm Irish	*Ben İrlandalıyım*	**ben iRlandaluh-yuhm**
I'm Welsh	*Ben Gallerliyim*	**ben gal-leRliyim**

Is there anyone who speaks English?
İngilizce konuşmasını bilen kimse var mı?
Ingilizje konushmasuhnu bilen kimseh vaR muh?

Do you speak English?
İngilizce biliyor musunuz?
Ingilizje biliyormoosoonuz?

Could you write that down for me please?
Onu benim için bir kağıda yazarmısınız lütfen?
onoo benim ichin biR ka:uhda yazaRmuhsuhnuhz lewtfen?

One moment please, I have to look it up
Bir saniye lütfen, sözcüğü aramam gerek
biR sahniyeh lewtfen, surzjew:ew aRamam geRek

I can't find the word / the sentence
Sözcüğü / cümleyi bulamıyorum
surzjew:ew / jewmleyi boolamuhyoRoom

Where can I get .... ?

Hangi dükkandan .... satın alabilirim?

hangi dewk-kahn-dan .... satuhn alabiliRim?

When does this shop open?

Bu dükkan saat kaçta açılıyor?

boo dewk-kahn saht kachta achuluhyoR?

Could you help me please?

Bana yardım edebilirmisiniz?

bana yaRduhm edebiliRmisiniz?

I'm looking for ....

.... arıyorum

.... aRuhyoRoom

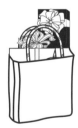

I'd prefer ....

.... tercih ediyorum

.... teRjih ediyoRoom

This is not what I'm looking for

Aradığım bu değil

aRaduh:uhm boo de:il

I'm just looking

Sadece bakıyorum

sadejeh bakuhyoRoom

I'd prefer this one

Bunu tercih ediyorum

boonoo teRjih ediyoRoom

I'll take this one

Bunu alıyorum

boonoo aluhyoRoom

It's too expensive

Çok pahalı

chok pa-aluh

Could you giftwrap it, please?

Hediyelik kağıda sararmısınız?

hediyelik ka:uhda saRar muhsuhnuz?

I'll pick it up tomorrow

Yarın gelir alırım

yaRun geliR aluhRuhm

Can I try this on?

Bunu deneyebilirmiyim?

boonoo deneyebiliRmiyim?

Where is the fitting room?

Soyunma kabini nerede?

soyoonma kabini neRedeh?

It doesn't fit

Olmadı

olmaduh

AT THE HAIRDRESSER'S

Do I have to make an appointment?

Randevu almam gerekiyor mu?

randevoo almam geRekiyoR moo?

How long will I have to wait?

Ne kadar beklemem gerekiyor?

neh kadaR beklemem geRekiyor?

I'd like a shampoo / haircut

Saçını yıkatmak / kestirmek istiyorum

sachumuh yuhkatmak / kestiRmek istiyoRoom

Do you have a colour chart?

Renk kataloğunuz var mı?

renk katalo:oonooz vaR muh?

I want to keep it the same colour

Saçımın aynı renk kalmasını istiyorum

sachumuhn inuh renk kalmasuhnuh istiyoRoom

I' like / I don't want hairspray

Saç spreyi istiyorum (istemiyorum)

sach spreyi istiyoRoom (istemiyoRoom)

Not too short at the back

Saçımın arkasından çok almayın

sachuhmuhn aRkasuhndan chok alma-yuhn

Not too long here

Burasını çok uzun bırakmayın

booRasuhnuh chok oozoon buhRakma-yuhn

I want a completely different style

Değişik bir model istiyorum

de:ishik biR model istiyoRoom

Could you trim my fringe?

Kakülümün ucundan alırmısınız?

kakewlewmewn oojoondan aluhR muhsuhnuhz?

STARTING/ENDING A CONVERSATION

Could I ask you something?

Size birşey sorabilirmiyim?

sizeh biR shey soRabiliRmiyim?

Excuse me, could you help me?

Özür dilerim, bana yardım edebilirmisiniz?

urzewhR dileRim, bana yaRduhm edebiliR misiniz?

Yes, what's the problem?

Evet, sorun ne?

evet, soRun neh?

What can I do for you?

Size nasıl yardımcı olabilirim?

size nasuhl yarduhmjuh olobiliRim?

Sorry, I don't have time now

Kusura bakmayın şu anda hiç zamanım yok

koosooRa bakmayuhn, shoo anda hich zanuhm yok

Do you have a light?

Ateşiniz var mı?

ateshiniz vaR muh?

May I join you?

Yanınıza oturabilirmiyim?

yanuhnuhza otooRabiliRmiyim.

Could you take a picture of me?

Resmimi çekermisiniz?

resmimi chekeRmisiniz?

Press this button

Bu düğmeye basın

boo dew:meyeh basuhn

Leave me alone

Beni rahat bırakın

Beni rahat buhRak

Do you have any hobbies?

Hobileriniz var mı?

hobileRiniz vaRmuh?

I like painting/reading?

Resim yapmayı/kitap okumayı severim?

resim yap-mayuh/kitap okoomayuh seveRim?

I like music

Müzik dinlemeyi severim

mewzik dinlemeyi seveRim.

I like going to the movies

Sinemaya gitmeyi severim?

sinema-ya gitmeyi seveRim?

I like fishing/walking

Balık tutmayı/yürümeyi severim

Baluhk toot-mayuh/yewRewmeyi seveRim.

Can I write / call you?

Sana mektup yazabilirmiyim /telefon edebilirmiyim?

sana mektoop yazabiliRmiyim/telefon edebiliRmiyim?

Can I have your address / phone number?

Adresini/telefon numaranı alabilirmiyim?

adResini/telefon noomaranuh alabiliRmiyim?

Thanks for everything

Herşey için teşekkürler

heR shey ichin teshek-kewRleR

I'd like to see you again

Seni tekrar görmeyi çok isterim

seni tekRaR gurRmeyi chok isteRim

I hope we meet again soon

Umarım yakında tekrar görüşürüz

oomaRuhm yakuhnda tekRaR gurRewshewRewz

Can I offer you a drink?

Size içecek bir şey ikram edebilirmiyim?

sizeh ichejek biR shey ikRahm edebiliRmiyim?

Shall we dance?

Dans edelim mi?

dans edelim mi?

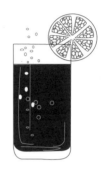

Shall we sit at the bar?

Bara geliyormusun?

baRa geliyoRmoosoon?

Shall we get something to drink?

Birşeyler içmeye gidelim mi?

biR sheyleR ichmeyeh gidelim mi?

Yes, all right

Tamam, olur

tamam, olooR

Good idea

İyi fikir

iyi fikiR

No, thank you!

Hayır, teşekkür ederim

hayuhR, teshek-kewR edeRim

May be later

Belki daha sonra

belki da-ha sonRa

I don't feel like it

Canım istemiyor

januhm istemiyoR

I don't have time

Zamanım yok

zamanuhm yok

I'm not very good at dancing

Dansta pek iyi değilim

dansta pek iyi de:ilim

Are you doing anything tonight?

Bu akşam meşgulmüsünüz?

Boo aksham meshgool mewsewnewz?

Do you have any plan for today/tonight?

Bugün/bu akşam için planınız var mı?

Boogewn/boo aksham ichin planuhnuz vaRmuh?

Would you like to go out with me?

Benimle çıkmak istermisiniz?

benimleh chukmak isteR misiniz?

Would you like to come to the beach with me?

Benimle plaja gelmek istermisiniz?

benimleh plazha gelmek isteRmisiniz?

Would you like to have lunch/dinner with me?

Benimle öğle/akşam yemeğe çıkmak istermisiniz?

Benimle ur:leh/aksham yeme:eh chuckmak isteRmisiniz?

Would you like ....?

.... istermisiniz?

.... isteRmisiniz?

CHATTING SOMEONE UP

You look wonderful !

Sizi çok iyi gördüm.

Sizi chok iyi guRdewn

I like your ski outfit!

Ne güzel kayak kıyafeti!

neh gewzel ka-yak kuh-yafeti

You're a nice boy/girl

Çok iyi bir çocuksun/kızsın

chok iyi biR chojooksoon / kuhzsuhn

What a sweet child!

Ne şirin çocuk!

neh shiRin chojook!

It's very kind of you!

Çok naziksiniz!

chok naziksiniz!

You're a wonderful dancer!

Çok güzel dansediyorsunuz!

chok gewzel dans ediyoRsoonooz!

I like being with you

Seninle olmaktan hoşlanıyorum.

Seninleh olmaktan hoshlanuhyoRoom.

I've missed you so much

Seni öyle özledim ki

seni uhyleh özledim ki

I dreamt about you

Rüyamda seni gördüm

rew-amda seni guRdewm

I think about you all day

Bütün gün seni düşünüyorum

bewtewn gewn seni dewshewnew-yoRoom

You have such a sweet smile

Çok tatlı bir gülüşün var

chok tatluh biR gewlewshewn vaR

You have such beautiful eyes!

O kadar güzel gözlerin var ki!

o kadaR gewzel gurzleRin vaR ki!

I'm in love with you
Sana aşığım
Sana ashuh:uhm

I'm in love with you too
Ben de sana aşığım
bendeh sana ashuh:uhm

I love you
Seni seviyorum
seni seviyoRoom

I love you too
Ben de seni seviyorum
ben de seni seviyoRoom

I already have a boyfriend/girlfriend
Benim erkek arkadaşım/kız arkadaşım var
benim eRkek aRkadashuhm/kuhz aRkadashuhm vaR

I'm not ready for that
Henüz o noktaya gelmedim
henewz o nokta-ya gelmedim.

This is going too fast for me
Herşey çok çabuk oluyor
HeRshay chok chabook olooyoR

Take your hands off me
Ellerini benden çek
elleRini benden chek

Okay, no problem
Tamam, sorun değil
tamam, soRoon de:il

Will you stay with me tonight?
Bu gece bende kalırmısın?
boo geje bende kaluhRmuhsuhn?

I'd like to go to bed with you
Seninle yatmak istiyorum
seninleh yatmak istiyoRoom

Only if we use a condom
Sadece prezervatif ile
sadejeh pReseRvatif ile

We have to be careful about AIDS

AIDS (eyds) yüzünden dikkatli olmamız gerek

ehds yewzewnden dik-katluh olmamuhz geRek

That's what they all say

Herkes aynı şeyi söylüyor

heRkes inuh sheyi surlewyor

We shouldn't takeany risks

İşi şansa bırakmayalım

ishi shansa buhRakma-yaluhm

Do you have a condom?

Prezervatifin var mı?

pReseRvatifin vaR muh?

No, in that case we won't do it

Yok mu? o halde sevişemeyiz

yok moo? o haldeh sevishemeyiz

I'm very serious

Ben çok ciddiyim

ben chok jid-diyim

IN TROUBLE

Asking for help

Help!	*İmdat!*	**imdat!**
Fire!	*Yangın!*	**yanguhn!**
Police!	*Polis!*	**polis!**
Quick!	*Çabuk!*	**chabook!**
Danger!	*Tehlike!*	**teHlikeh!**
Watch out!	*Dikkat!*	**dik-kat!**
Stop!	*Dur!*	**door!**
Be careful!	*Dikkat et!*	**dik-kat et!**
Don't!	*Yapma!*	**yapma!**
Let go!	*Bırak!*	**buhRak!**
Pull!	*Çek!*	**chek!**
Listen to me!	*Dinle beni!*	**dinle beni!**

Could you help me?
Bana yardım edermisiniz?
bana yaRduhm edeRmisiniz?

Where is the police station? *Karakol nerede?* **kaRakol neRedeh?**

Where is the nearest fire extinguisher?
Yangın söndürücüsü nerede?
yanguhn surndewRewjewsew neRedeh?

Call the fire brigade	*İtfaiyeyi çağırın*	**itfah-iyeyi cha:uhRuhn**
Call the police!	*Polisi arayın!*	**polisi aRa-yuhn**
Where is the nearest phone?	*Telefon nerede?*	**telefon neredeh?**

I don't speak turkish
Türkçe bilmiyorum
tewRkcheh bilmiyoRoom

I didn't see thi sign
Levhayı görmedim
Levha-yuh guRmedim

I was only doing .... kilometres an hour.
Saatte .... kilometre ile gidiyordum.
saht-teh .... kilometReh ileh gidiyoRdoom.

I was blinded byy oncoming lights
Karşıdan gelen ışık yüzünden bir şey göremez oldum.
kaRshuhda gelen uhshuk yewzewnden biR shey guRemez oldoom.

Could you make out a report, please?
Tutanağa geçirirmisiniz lütfen?
tootana:a gechiRiRmisiniz lewtfen?

Could I have a copy please?
Bir nüsha alabilirmiyim?
biR news-ha alabiliRmiyim?

I've lost everything.

Herşeyimi kaybettim.

heR sheyimi kibet-tim.

I'd like an interpreter.

Tercüman istiyorum.

teRjewman istiyoroom

I' innocent.

Ben suçsuzum.

ben soochsoozoom.

I'dont know anything about it.

Benim hiçbirşeyden haberim yok.

benim ihch biR sheyden habeRim yok.

I've lost my passport.

Pasaportumu kaybettim.

pasapoRtoomoo kaybettim.

I want a lawyer who speaks English.

İngilizce bilen bir avukat istiyorum.

ingilizce bilen biR avookat istiyoroom.

OVERNIGHT ACCOMODATION

My name's .... I've made a reservation over thephone.

Adım ..... telefonla yer ayırtmıştım.

aduhm .... telefonla yeR ayuhRtmuhshtuhm.

How much is it per night / week / month?

Bir geceliği / haftalığı / aylığı ne kadar?

biR gejeli:i / haftaluh:uh / ilih:uh neh kadaR?

We'll be staying at least .... nights / weeks.

En az .... gece / hafta kalacağız.

en az .... gejeh / hafta kalaja:uhz.

Do you allow cats / dogs?

Kedi / köpek kabul ediyor musunuz?

kedi / kurpck kabool ediyoRmoosooonooz?

Could you get me a taxi, please?

Benim için bir taksi çağırırmısınız, lütfen?

benim ichin biR taksi cha:uhRuhR muhsuhnuhz?

Is there any mail for me?

Bana posta var mı?

bana posta vaR muh?

Where is the manager?

Yönetici nerede?

yurnetiji neRedeh?

Are we allowed to camp here?

Burada kamp kurabilirmiyiz?

booRada kamp kooRabiliRmiyiz?

Do you have a quiet spot for us?

Bizim için sakin bir yeriniz var mı?

bizim ichin sakin biR yeRiniz vaR muh?

There are ..... of us and .... tents.

.... kişi ve .... çadırdayız.

.... kishi eh .... chaduhRla-yuhz.

Can we park the car nex to the tent?

Arabayı çadırın yanına park edebilirmiyiz?

araba-yuh chaduhRuhn yanuhna paRk edebiliRmiyiz?

How much is it per person / tent / caravan?

Kişi / çadır / karavan başına ne kadar?

kishi / chaduhr / kaRavan bashuhnuh neh kadaR?

SPORTING QUESTIONS

Where can I find .... around here?

Burada .... nerede bulabilirim?

booRada .... neredeh boolabiliRim?

Can I hire a .... here?

Burada bir .... kiralayabilirmiyim?

booRada biR .... kiRalayabiliRmiyim?

Can I take tennis lessons?

Tenis dersi alabilirmiyim?

tenis deRsi alabiliRmiyim?

How much is that per hour / day?

Saati / günlüğü ne kadar?

sahti / gewnlew:ew neh kadaR?

Do I need a permit for that?

Ruhsat gerekli mi?

ruHsat geRekli mi?

Where can I get the permit?

Bu ruhsatı nereden alabilirim?

boo ruHsatuh neReden alabiliRim?

What's the water temperature?

Su kaç derece?

soo kach derejeh

Is it (very) deep here?

Burası (çok) deRin mı?

booRasuh (chok) deRin mi?

Is it safe to swim here?

Burada yüzmek tehlikeli mi?

booRada yewzmek teHlikeli mi?

Are there any currents?

Akıntı varmı?

akuhntuh vaR muh?

Are there any rapids in this river?

Bu nehrin hızlı akıntı yeri var mı?

boo neHRin huhzluh akuhntuhuh yeRi vaRmuh?

Is there life quard on duty here?

Burada bir cankurtaran var mı?

booRada bir jankooRtaRan vaR muh?

EATING OUT

I'd like a table for two please

İki kişilik bir masa lütfen

iki kishilik biR masa lewtfen

We've / we haven't booked

Yer ayırtmıştık / ayırtmamıştık

yeR i-uhRtmuhstuk / i-uhRtmamuhshtuhk

Is the restaurant open yet?

Restoran açık mı?

restoRan achuk muh?

What time does the restaurant open / close?

Restoran saat kaçta açılıyor / kapanıyor?

restoRan saht kachta achuhluhyoR / kapanuhyoR?

Can we wait for a table?

Boş bir masa için bekleyebilirmiyiz?

bosh biR masa ichin bekleyebiliRmiyiz?

Do we have to wait long?

Çok beklememiz gerekirmi?

chok beklememiz geRekiRmi?

Is this seat taken?

Burası boş mu?

booRasuh bosh moo?

Could we sit here / there?

Buraya / oraya oturabilirmiyiz?

booRa-ya / oRa-ya otooRabiliRmiyiz?

Can we sit by the window

Cam kenarına oturabilirmiyiz?

jam kenahRuhna otooRabiliRmiyiz?

Can we eat outside?

Dışarıda yiyebilirmiyiz?

duhshaRuhda yiyebiliRmiyiz?

Waiter!

Garson!

gaRson!

Madam / Sir

Hanımefendi / beyefendi!

hanuhmefendi / beyefendi!

We'd like something to eat / drink

Birşeyler yemek / içmek istiyoruz

biR sheyleR yemek / ıchmek istiyoRooz

We don't have much time

Fazla zamanımız yok

fazla zamanuhmuhz yok

We'd like to have a drink first

Önce birşeyler içmek istiyoruz

uhnje biR sheyleR ichmek istiyoRooz

Do you have a menu in English?

İngilizce yemek listeniz var mı?

ingilizje yemek listeniz var muh?

Do you have a dish of the day?

Günlük menünüz var mı?

gewnlewk menewnewz vaR muh

We haven't made a choice yet

Henüz seçim yapmadık

henewz sechim yapmaduhk

What do you reccomend?

Ne tavsiye edersiniz?

neh tavsiyeh edeRsiniz?

What's the speciality of the region/the house

Bu yörenin / restoranın spisiyalitesi nedir?

boo yuhRenin / restoRanuhn spesiyelitesi nediR?

I don't like meat / fish

Eti / balığı sevmem

eti / baluh:uh sevmem

What's this

Bu ne?

boo neh?

What does it taste like?

Tadı neye benziyor?

taduh neyeh benziyoR?

Is this a hot or a cold dish?

Bu yemek sıcak mı yoksa soğuk mu?

boo yemek suhjak muh yoksa so:ook moo?

Is this spicy?

Bu yemek acılı mı?

boo yemek ajuhluhmuh?

Do you have something else?

Başka bir yemeğiniz var mı?

bashka biR yeme:iniz vaRmuh?

We'll have what those people are having?

Onlarınkinin aynısını istiyoruz

onlaRuhnkinin inuhsuhnuh istiyoRooz

We're not having a starter

Meze istemiyoruz

mezeh istemiyoRooz

Could I have some more bread?

Biraz daha ekmek lütfen

biRaz da-ha ekmek lewtfen

A bottle of wine / water please

Bir şişe şarap / su lütfen

biR shishe shaRap / su lewtfen

An ashtray / a napkin please

Bir kültablası / peçete lütfen

biR kewl tablasuh / pecheteh lewtfen

Some salt and pepper please

Biraz tuz ve karabiber lütfen

biRaz tooz ve kaRabibeR lewtfen

Enjoy your meal!

Afiyet olsun!

afiyet olsoon!

You too!

Size de!

sizeh deh!

Cheers!

Şerefe!

sheRefeh!

How much is this dish?

Bu yemeğin fiyatı nedir?

boo yeme:in fiyatuh nediR?

Could I have the bill please?

Hesap lütfen

hesap lewtfen

All together

Hepsi bir arada

hepsi biR aRada

Every one pays seperately

Herkes kendi hesabını ödeyecek

heRkes kendi hesabuhnuh urdeyejek

Could we have the menu again

Menüye bir daha bakalım

menuyeh biR da-da bakahlum

The .... is not on the bill

.... hesapta yok

.... hesapta yok

It's taking a very long time

Çok uzun sürüyor

chok oozoon sewRewyor

This must be a mistake

Bir yanlışlık olmalı

biR yanluhshluk olmaluh

This is not what I ordered

Ben bunu istememiştim

ben boonoo istememishtim

This is broken/not clean

Bu kırık/kirli

boo kuhRuk/kirli

The food is cold

Bu yemek soğuk

boo yemek so:ook

The meat is not done

Et iyi pişmemiş

et iyi pishmemish

The bill / this amount is not right

Hesapta bir yanlışlık var

hesapta bir yanluhshluhk vaR

Will you call the manager?

Şefinizi çağırırmısınız?

shefinizi cha:uhRuhR muhsuhnuhz?

That was a wonderful meal

Yemeklerinizi çok beğendik

yemekleRinizi chok be:endik

The food was excellent

Yemekleriniz çok lezizdi

yemekleRiniz chok lezizdi

THE MENU

Alkollü içkiler
Alcholic drinks

Menü
Menu

Alkolsüz içkiler
Non-alcholic drinks

Meyvalar
Fruits

Aperatifler
Aperatifs

Mezeler
Starters

Balık çeşitleri
Choice of fish dishes

Salatalar
Salads

Çorba çeşitleri
Choice of soups

Pasta çeşitleri
Choice of cakes

Etli yemekler
Meat dishes

Şarap listesi
Wine list

Sebze çeşitleri
Vegetarian dishes

Sıcak yemekler
Hot dishes

Izgaralar
Grills

Soğuk yemekler
Cold dishes

Kahvaltı
Breakfast

Tatlılar
Sweets puddings

Kokteyller
Cocktails

Kahve / çay
Coffee / tea

ASKING FOR DIRECTIONS & PLACES

Excuse me, could I ask you something?

Özür dilerim, size bir şey sorabilirmiyim?

urzewR dileRim, sizeh biR shey soRabiliRmiyim?

I've lost my way

Yolumu kaybettim

yoloomoo kibet-tim

Is there a..... around here?

Bu civarda bir ..... varmı?

boo jivaRda biR .... vaR muh?

Is this the way to ....?

.... giden yol bu mu?

.... giden yol boo moo?

Could you point it out on the map?

Haritada gösterebilirmisin?

haRitada gursteRebiliRmisiniz?

Where's?

Nerede?

neredeh?

Where's the information desk?

Danışma bürosu nerede?

danushma bewRosoo neRedeh?

Where can I find a timetable?

Tarife nerede bulabilirim?

taRifeh neredeh boolabiliRim?

Where's the .... desk?

.... gişesi nerede?

.... gishesi ncRcdeh?

I'd like to confirm / cancel / change my booking for..........

.... Olan rezerzasyonumu konfirme / iptal / değiştirmek istiyorum

.... olan rezeRvayonoomoo konfiRmeh / iptahl / de:ishtiRmek istiyoRoom

I want to go to.......

.... *gitmek istiyorum*

.... **gitmek istiyoRoom**

How do I get there?

Oraya nasıl gidebilirim?

oRaya nasuhl gidebiliRim?

How much is a single / return to.....?

..... *Tek gidiş / gidiş dönüş ne kadar?*

..... **tek gidish / gidish durnewsh neh kadaR?**

Does this bus travel direct?

Bu otobüs direkt mi gidiyor?

boo otobews deeRect mi gidiyoR?

How long do I have to wait?

Ne kadar beklemem gerekiyor?

neh kadaR beklemem geRekiyoR?

When does it leave?

Ne zaman kalkıyor?

neh zaman kalkuhyor?

What time does the first / next / last ... leave?

İlk/bir sonraki / en son .... saat kaçta kalkıyor?

ilk / biR sonraki / en son .... saht kachta kalkuhyoR?

How long does it take?

Yolculuk kaç saat sürüyor?

yoljoolook kach saht sewRew-yoR?

What time does it arrive?

Saat kaçta varıyor?

saht kachta vaRuhyor?

Where does the bus to .... leave from?

.... giden otobüs nereden kalkıyor?

.... giden otobews neReden kalkuh-yoR?

Do you have a city map?

Sizde şehrin haritası var mı?

sizdeh sheHrin haRitasuh vaRmuh?

Could you give me some information about....?

Bana .... hakkında bilgi verebilirmisiniz?

Bana ..... hak-kuhnda bilgi veRebiliRmisiniz?

How much is that?

Borcum ne kadar?

boRjoom neh kadaR?

What are the main places of interest?

Görülmeye değer neler var?

gurRewlmeyeh de:eR nehleR vaR?

What do you reccomend?

Ne tavsiye edersiniz?

neh tavsiyeh edeRsiniz?

Where's the museum?

Müze nerede?

mewzeh neRedeh?

What time does it open/close?

Saat kaçta açılıyor/kapanıyor?

saht kachta achuhluhyoR/kapanuhyoR?

What's the admission price?

Giriş ücreti nekadar?

girish ewchReti neh kadaR?

Is there a group discount?

Grup indirimi var mı?

gooRoop indirimi vaR muh?

Can I take (flash) photos / can I film here?

Burada (flaşla) fotoğraf/film çekebilirmiyim?

booRada (flashla) foto:Raf/film chekebiliR miyim?

Are there any bus/boat tours?

Otobüsle / botla gezi turu var mı?

otobewsleh/botla gezi tooRoo vaR muh?

Where do we get on?

Nereden binebiliriz?

neReden binebiliRiz?

Is there a guide who speaks English?

İngilizce bilen bir rehber var mı?

ıngilizjeh bilen BiR reHbeR var muh?

How long is the trip?

Gezi ne kadar sürür?

gezi neh kadaR sewReR?

How much free time will we have there?

Orada gezmek için ne kadar zamanımız var?

oRada gezmek ichin neh kadaR zamanuhmuhz vaR?

TAXI

Could you get me a taxi please

Bir taksi çağırabilirmisin?

biR taksi cha:uhRabiliRmisin?

Could you take me to.....

Beni .... götürün lütfen

beni .... gurtewRewn lewtfen

To this address

Bu adrese

boo adReseh

To the ..... hotel

.... oteline

.... otelineh

To the city centre

Şehir merkezine

shehiR meRkezineh

To the station

İstasyona

istas-yona

To the airport

Havaalanına

hava-alanuhna

I'm in hurry

Acelem var

ajelem vaR

Could you speed up/slow down a little?

Daha hızlı / yavaş gidebilirmisiniz?

da-ha huhzluh/yavash gidebiliR misiniz?

I'd like to get out here, please

Beni burada indirin lütfen

beni booRadah indiRin lewtfen

You have to turn left/right here

Buradan sola/sağa dönün

booRadan sola/sa:a durnewn

This is it!

Burası!

booRasuh!

Could you wait for me?

Beni beklermisiniz?

beni bekleRmisiniz?

POST OFFICE & BANK

Where is the post-office?

Postane nerededir?

postaneh neRedeh-dir?

Where is the main post-office?

Merkez postane nerededir?

meRkez postaneh neRedeh-dir?

Which counter should I go to send a fax?

Hangi gişeden fax çektirebilirim?

hangi gishedeh fax chektiRebiliRim?

What's the postage for a ...... to ......?

...... gidecek .... için kaç liralık posta pulu gerek?

.... gidejek ..... ichin kach liRaluhk posta pooloo geRek?

Which counter should I go to change giro cheques?

Hangi gişede posta çeki bozdurabilim?

hangi gishedeh posta cheki bozdooRabiliRim?

Is there a phone box around here?

bu civarda bir telefon kulubesi var mı?

boo jivaRda biR telefon koolewbesi vaR muh?

Could I use your phone, please?

Telefonunuzu kullanabilirmiyim lütfen?

telefonoonoozoo kul-lanabiliRmiyim, lewtfen?

Where can I get a phone card?

Nereden telefon kartı satın alabilirim?

neReden telefon kartuh satuhn alabiliRim?

Could you give me?

.... verirmisiniz?

.... veRiRmisiniz?

Can I dial international direct?

Yurt dışına direkt telefon açabilirmiyim?

yoort dushshuhna deerect telefon achabiliRmiyim?

Where can I find a bank/an exchange office around here?

Bu civarda nerede bir banka/döviz bürosu var?

boo jivarda neredeh biR banka/durviz bewrosoo vaR?

Where can I cash this traveller's cheque / giro cheque?

Bu seyehat / posta çekini nerede bozdurabilirim?

boo seya-hat / posta chekini neRedeh bozdooRabiliRim?

Can I withdraw money on my credit card here?

Burada kredi kartımla para çekebilirmiyim?

booRada kRedi kaRtuhmla paRa chekebiliRmiyim?

I'd like to change some money

Para bozdurmak istiyorum

paRa bozdooRmak istiyoRoom

What's the exchange rate?

Günlük döviz kuru ne kadar?

gewnlewk durviz kooRoo neh kadaR?

RENT A CAR

I'd like to rent a car

Bir araba kiralamak istiyorum

biR araba kiRalamak istiyoroom

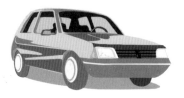

How much is that per day/week?

Günlüğü/haftalığı ne kadar?

gewnlew:ew/haftaluh:uh neh kadaR?

How much is the deposit?

Ne kadar kapora ödemem gerek?

neh kadaR kapoRa urdemem gerek?

How much is the surcharge per km?

Kilometre başına ek olarak ne kadar ödemem gerek?

kilometRe bashunah neh kadaR urdemem geRek?

Does it include insurance / petrol?

Sigorta / benzin dahil mi?

sigoRta/benzin da-hil mi?

Could I have a receipt for deposit?

Kaporo için bir makbuz alabilirmiyim?

kapoRo ichin biR makbooz alabilirmiyim?

What time can I pick it up tomorrow?

Yarın saat kaçta gelip alabilirim?

yaruhn saht kachta gelip alabiliRim?

When does it have to be back?

Ne zaman geri getirmem gerek?

neh zaman geRi getiRmem geRek?

Where's the petrol tank?

Yakıt deposu nerede?

yakuht deposoo neRede?

What sort of fuel does it take?

Depoyu hangi tür yakıt ile doldurmalıyım?

depoyoo hangi tewr yakuht ileh doldooRmalıyım?

SICKNESS

Could you call a doctor quickly?

Hemen bir doktor çağırırmısınız?

hemen biR doktoR cha:uhRuhR muhsuhnuhz?

When can the doctor come?

Doktor ne zaman gelir?

doktoR neh zaman geliR?

I don't feel well

Kendimi iyi hissetmiyorum

kendimi iyi his-setmiyoRoom?

I'm dizzy

Başım dönüyor

bashum duRnew-yoR

I'm ill

Hastayım

hasta-yuhm

I'm sick

Midem bulanıyor

midem boolanuhyoR

I've got a cold
Nezleyim
nezleyim

I've been throwing up
İstifrağ ettim
istifra: ettim

It hurts here
Buram ağriyor
booRam a:RuhyoR

I'm running a temperature of ..... degrees
Ateşim .... derece
ateshim .... deRejeh

I've been stung by a wasp / an insect
Beni eşek arısı / böcek soktu
beni eshek aRuhsuh / burjek soktoo

I've been bitten by a dog
Beni köpek ısırdı
beni kurpek uhsuhRduh

I've been stung by a jellyfish

Bana denizanası değdi

bana deniz anasuh de:di

I've had a fall

Düştüm

Dewshtewm

I've come for the pill

Doğum kontrol hapı istiyorum

do:oom kontRol hapuh istiyoRoom

I'm diabetic

Şeker hastasıyım

shekeR hastasuhyuhm

I've heart condition

Kalp hastasıyım

kalp hastasuhyuhm

I'm allergic to

.... *karşı alerjim var*

..... karshu aleRzhim vaR

I've had an operation

Ameliyat oldum

ameliyat oldoom

I've asthma

Astım hastasıyım

astuhm hastasuhyuhm

I'm on diet

Perhizdeyim

peRhizdeyim

I'm ... months pragnant

... aylık hamileyim

..... iluhk hahmileyim

I've had a heart attack once before

Daha öncede kalp krizi geçirdim

da-ha urnjeh deh kalp kRizi gechiRdim